당신이
집중하는 것이
확장된다

What You Focus On Expands

자비에르 추아 Javier Chua

강푸름 옮김

당신이 집중하는 것이 확장된다

발 행 | 2024년 8월 1일

저 자 | 자비에르 추아 Javier Chua / 강푸름 옮김

펴낸이 | 한건희

펴낸곳 | 주식회사 부크크

출판사등록 | 2014.07.15.(제2014-16호)

주 소 | 서울특별시 금천구 가산디지털1로 119 SK트윈타워 A동 305호

전 화 | 1670-8316

이메일 | info@bookk.co.kr

ISBN | 979-11-410-9922-0

www.bookk.co.kr

목차

헌사

아내 조슬린 테오에게, 당신이 내게 준 모든 희생과 지원, 무조건적인 사랑에 대해 진심으로 감사합니다.

사랑하는 내 아이들 자비스와 제이미에게. 너희가 있어 우리 가족에 큰 기쁨을, 그리고 너희와 함께 하면서 배우는 삶을 살게 되었다.

"부자아빠 가난한 아빠"의 저자 로버트 키요사키(Robert Kiyosaki)에게. 그는 내가 결핍 대신 풍요의 마인드를 가지고 다르게 생각하도록 영향을 주었다.

그리고 마지막으로, 오디오 북과 세미나를 통해 내게 큰 영향을 준 고(故) 짐 론에게 특별히 감사드린다.

들어가며

○
○ ○
○

안녕하세요, 내 이름은 자비에르 추아입니다. 자기계발 사이트 PositivityToSuccess.com의 설립자이자 이 책의 저자입니다.

우선, 이 책을 선택해주셔서 감사합니다. 이제 당신은 개인적인 발전을 돕는 이 놀랍고 멋진 자원에 액세스할 수 있습니다. 이 자원을 내면으로 잘 받아들이면 당신의 삶을 바꿀 수 있다고 확신합니다.

아마도 당신은 이 책이 무엇에 관한 것인지, 그리고 어떻게 당신의 삶을 바꾸는데 도움이 될지 궁금할 것입니다.

그 질문에 답하기 위해, 먼저 약간의 개인적인 이야기를 당신과 나누고자 합니다.

나는 2년 동안 군대에 있었는데 스무 살 때 "부자아빠 가난한 아빠"라는 책을 우연히 발견했다. 그리고 그 책은 재정적인 자유에 관한 작은 씨앗을 마음속에 심으면서 실제로 내 마인드의 변화를 가져왔다.

나라에 대한 봉사를 마치고, 대학에 진학하기로 되어 있었고 학업을 그만두기로 결정하기 전까지 3주 정도 지방대학에 다녔다. 하지만 그 곳에서의 시간은 그렇게 즐겁지 않았다. 페이스가 너무 빨랐고 강사를 포함한 모든 사람들이 짧은 시간 안에 모든 강의 계획표를 완수하기 위해 서두르고 있었기 때문이었다.

그 시점에서 이것이 앞으로 3년 동안 내가 정말로 원하는 것이 맞는지 생각했다. 그리고 나와 같은 반에 있었던 선배와 대화를 나누고 나서, 학교를 중퇴하기로 결심했다. 곧 졸업할 예정인 선배에게 무엇을 하고 싶은지 간단한 질문을 던졌는데, 그는 학위를 받고 나서 무엇을 할지 잘 모르겠다고 답했다. 비록 그 시점에 학교를 그만두면 무엇을 어떻게 해야 할지 몰랐지만, 나는 3년이란 시간이 지날 때까지 기다렸다가 상황을 파악하고 싶지는 않았다. 나는 모든 것이 잘될 거라고 내 자신에게 계속해서 말했다.

가족과 친척들을 마주해야하기 때문에 학교를 그만두는 것은 쉬운 결정이 아니었다. 내가 싱가포르에서 좋은 지방 대학에 간신히 입학한 유일한 가족이었기 때문에 부모님은 왜 내가 그만뒀는지, 왜 그렇게 좋은 기회를 내버렸는지 계속 잔소리를 했다. 성적 때문에 자기 아이들이 대학에 진학할 수 없었던 친척들은 내게 공부를 계속하라고 설득하면서도 은근히 재미있어 했다.

대다수 부모들의 규범은 아이들에게 학교에 가고, 좋은 성적을 받고, 좋은 직장을 구하라고, 그러면 행복하게 살 것이라고 말하는 것이다. 하지만, 열정적으로 인생을 즐기는 대신 모든 사람이 생계를 유지하기 위해 열심히 일하고 있기 때문에, 그것은 내 주변 사람에게는 해당되지 않는 규범이었다.

학교를 중퇴한 뒤 인생에서 하고 싶은 일을 더 명확하게 하기 위해 온갖 종류의 벤처기업에 들어갔는데, 결국 MLM,

부동산 판매, 보험 대리인(1차 시험에 합격할 수도 없었다) 등 모든 것이 실패했다. 여기저기서 몇 천 달러를 잃었지만 마침내 주의를 끌 만한 것을 찾아냈다. 나는 내 자신이 인터넷을 통해 잠들어 있는 동안에도 돈을 벌 수 있는 온라인 사업을 하고 싶다는 것을 알게 되었다.

하지만 무엇을 하고 싶은지 아는 것과 별개로, 목표를 달성하기 위해서는 매일 긍정적인 마인드를 내면화하고 크게 행동을 취해야 한다는 사실을 깨달았다. 이 시점에서 "시크릿(The Secret)"이라는 영화를 우연히 보고 끌어당김의 법칙에 대해서 배우게 되었다.

기본적으로 끌어당김의 법칙을 가장 쉽게 설명하면, 그것은 좋든 싫든 우리 삶에서 일어나는 모든 일은 우리의 생각을 통해 끌려온다는 것이다. 이것이 의미하는 바는 강한 감정으로 마음속에 어떤 생각(긍정적/부정적)을 계속 반복한다면, 생각하는 것이 결국 자신의 현실로 드러난다는 것이다.

긍정적인 생각을 하면 긍정적인 결과를 이끌어낼 것이다. 다시 말해, 우리는 우리가 집중하는 것을 끌어당기고 있으며, 만약 결핍에 집중한다면 더 많은 결핍을 끌어들일 것이다.

2009년 나의 첫 번째 토니 로빈스 세미나(내가 끌어당긴 무료입장권)

나는 개인적으로 끌어당김의 법칙의 영화에서 말하는 것과 같은 이론을 가르치는 억만장자의 유료 세미나에도 참석했다. 그곳에서는 당신의 프로그래밍이 생각으로 이어지고, 생각은 감정으로 이어지며, 감정은 행동으로 이어지고, 행동은 결국 결과로 이어지기 때문에 컴퓨터처럼 프로그램을 바꾸면 결과를 변경할 수 있다고 가르쳤다.

자, 이제 당신은 "어떻게 하면 프로그램을 바꿔서 긍정적

2011년 태국 체류비(내가 끌어당긴 설문 대회)

인 결과를 가져올 수 있을까?"라고 생각하고 있을 것이다.

앞으로 이어지는 내용에서 자세히 다룰 것이므로 걱정할 필요 없다. 나는 이 분야를 광범위하게 연구하기 시작했고, 그것이 바로 이 책이라는 결과로 이어졌다.

사실, 내가 찾은 것을 당신과 공유하는 것이 나의 사명이다. 그것은 성공으로 가는 나의 여정에 도움이 되었고, 자신의 여정에 있는 누군가에게 확실히 도움이 될 것이다.

세상은 어떻게 돌아가는가

○ ○ ○

인생을 사는 방식에 있어 아마도 당신이 아는 모든 것은 틀렸을지 모르며, 그래도 괜찮다. 결국 우리는 경험과 교육을 통해 배운 것에 의해서만 나아갈 수 있을 뿐이다. 아마 당신도 지구상의 다른 모든 사람들처럼 학교에 다니고, 기본적인 ABC와 123을 배웠을 것이다. 역사, 과학, 그리고 아마 기억조차 할 수 없는 다른 것들에 대해서도 조금씩 배웠을 것이다.

시험에 합격하고 선생님과 부모님을 기쁘게 하는 법을 배웠을지 모르지만, 실제로 자기 자신을 기쁘게 하는 방법에 대해서는 전혀 알지 못할 수도 있다. 학교 당국과의 문제를 피하는 법은 배웠지만 설득, 영향력, 리더십의 원리는 배우지 못했을지도 모른다.

인체에 대해서도 어느 정도 배웠을지 모르지만, 당신이 배운 것은 아마도 건강한 몸을 얻는 데에는 크게 도움이 되지 않았을 것이다. 역사적으로 위대한 사람들에 대해 공부했을지 모르지만, 그들을 위대하게 만든 원리에 따라 사는 법은 결코 배우지 못했을지 모른다.

그리고 가장 중요한 것으로, 아마도 돈을 어떻게 세는지, 어떻게 변화를 만드는지 배웠겠지만, 좋은 돈을 벌고 부를 쌓는 것에 대해서는 원하는 만큼 배우지 못했을지도 모른다.

다시 말해, 학교에서 배운 것은 세상이 실제로 어떻게 돌아가는지 이해하는 데 거의 도움이 되지 않는다.

이 말이 터무니없는 소리로 들리는가?

몇 가지 통계를 살펴보자.

세계 인구의 20% 미만이 부의 80% 이상을 통제하고 있다.

고도로 산업화된 사회에 사는 대다수 사람들은 과체중이거나 비만이다.

북미에 거주하는 대부분의 사람들은 월급쟁이로 살고 있다. 하지만 그곳은 세계에서 가장 부유한 지역 중 하나이다!

대부분의 노동자와 중산층을 괴롭히는 거의 천문학적인 소비자 부채는 말할 것도 없다.

이제 당신 삶의 모습을 정직하게 살펴보자.

당신은 정말로 원하는 관계를 가지고 있는가? 자신감 수준과 내면의 평화에 만족하는가? 합리적인 양의 재정적인 안전을 확보하고 원하는 것을 살 수 있을 만큼 충분한 돈을 벌고 있는가? 건강 상태는 만족하는가? 그리고 가장 중요한 것으로,

만약 내일 죽는다면, 가장 사랑하는 사람들의 가슴과 마음에 어떤 유산을 남길 것인가?

이런 질문 중 어느 하나라도 마음속에 불안감이나 불만족, 수치심 또는 죄책감을 일으킨다면, 한 가지는 확실하다.

인생에서 배운 규칙이 당신이 정말로 원하는 결과를 만들어내지 못한다는 것이다.

우울한 소리처럼 들릴지 모르지만, 이것은 실제로 꿈을 이루고 최고의 자신이 되기 시작하기에 매우 좋은 지점이다.

그 이유는 무엇인가?

불만은 접근 방식을 바꾸고 정말로 원하는 결과를 얻을 수 있는 기회를 제공하기 때문이다. 그러나 이것은 세상이 돌아가는 방식이 현재 당신이 믿는 것과는 다르다는 사실을 받아들이는 것으로 시작된다. 만약 이 말이 사실이 아니라

면, 당신은 아마도 인생에 훨씬 더 만족하고 정말로 원하는
것을 더 많이 가졌을 것이다.

이제 사람들이 진정으로 원하는 것을 얻지 못하게 하는
몇 가지 대중적인 신화를 살펴보자.

신화 1. 돈은 만악의 근원이다

돈이 악하다는 믿음은 결코 많은 것을 가질 수 없도록 보장하는 확실한 방법이다. 결국, 누가 악하다고 생각하는 것을 자신의 삶에 기꺼이 더 많이 가지고 싶어 하겠는가? 더 나쁜 것은, 돈이 있으면 악하고 탐욕스러운 사람이 된다는 믿음이다.

누가 자신을 악하거나 탐욕스러운 사람으로 보고 싶어 하겠는가? 이 믿음 하나만으로도 평범함과 빈곤의 주요 원인 중 하나가 될 것이다. 잠시 이 문제를 조망해보자.

악은 돈 같은 무생물에 적용될 수 있는 용어가 아니다. 악을 행하려는 의도는 선택의 힘을 필요로 하고, 돈은 선택을 할 수 없다. 돈은 오직 그것을 소유한 사람이 내리는 선택의 대상이 될 뿐이다. 따라서 돈에 어떤 도덕적 특성이 있다면, 그것은 단순히 돈을 소유한 사람의 특성일 뿐이다.

이것은 마음속에서 자신이 도덕적인 사람이라는 것을 알고 있는 한 돈은 악하지 않으며, 더 많은 것을 원하는 것이 완벽하게 괜찮다는 의미이다.

신화 2. 성공한 사람들은 운이 좋다

기회가 우리 인생에서 중요한 역할을 한다는 것은 의심의 여지가 없다. 때때로 좋은 사람들에게 나쁜 일이 일어나고 나쁜 사람들에게 좋은 일이 일어난다는 것 또한 의심의 여지가 없다. 하지만 수십억의 사람들이 "불운"이라고 부르는 것으로 인해 가난과 빈약한 인간관계, 그리고 건강 문제를 견디며 삶을 살아간다는 것 역시 사실이다.

나폴레옹 힐은 그의 베스트셀러 《생각하고 성장하라 (Think and Grow Rich)》에서 운 좋은 사람들이 어떻게 그럴 수 있었는지 결정하기 위해 수행된 일련의 실험에 대해 썼다. 그것은 정말로 운명에 달려 있는 것일까, 아니면 다른 무언가가 있는 것일까?

실험 결과, 운이 좋은 사람들은 자신에게 일어난 좋은 일을 기억하고 진정으로 원하는 것에 초점을 맞춘 사람들일 뿐이었다는 사실이 증명되었다.

반면에, "불운한" 사람들은 대부분 자신에게 일어난 나쁜 일을 기억하고 원하지 않는 것에 집중했다.

이제 배우게 되겠지만, 이것 하나만으로도 원하는 것을 얻는 사람과 얻지 못하는 사람 사이의 가장 중요한 차이점이 된다.

신화 3. 내 문제는 다른 사람 탓이다

인생에서 원하는 것을 얻지 못하는 많은 사람들은 누구 때문에, 또는 무엇 때문에 자신의 삶이 그렇게 됐는지 빠르고 정확하게 말해줄 것이다. 다시 말해, 대다수 사람들은 자신을 상황이나 타인이 내린 선택의 희생자로 보며, 따라서 인생을 통제할 수 있는 힘이 자신에게 있다는 사실을 무시한다.

한 번 더 말하지만, 기회는 우리 삶의 모든 부분에서 중요한 역할을 하며, 때로는 타인의 선택에 의해 직간접적으로 영향을 받는다는 것은 의심의 여지가 없다. 그러나 세상에서 가장 성공한 사람들은 자신에게 무슨 일이 일어나든지, 결과적으로 어떤 사람이 되겠다고 내린 자신의 결정을 항상 통제하고 있음을 인정한다.

그리고 그것이 모든 차이를 만들어낸다.

신화 4. 부자는 탐욕스럽거나 원래 부자로 태어난다

이것이 아마도 빈곤과 재정적 불행의 주요 원인일 것이다. 부자가 탐욕스럽다고 믿으면 자신은 결코 부자가 되지 않겠다는 확신을 갖게 된다. 어쨌거나 누가 탐욕스러운 사람으로 보이기를 원하겠는가? 이 믿음은 말할 것도 없이 부유한 사람들에게서 돈을 벌고 부를 창출하는 방법에 대한 조언을 구하지 못하게 가로막을 것이다.

대신, 당신은 대다수 사람들이 하는 대로 하게 될 것이다. 사람들은 다른 중산층과 저소득층 사람들에게서 재정적 조언을 들으며 그들이 왜 파산했는지 궁금해 한다.

부자는 "원래 그렇게 태어났다"는 믿음은 정말 끔찍한 것이다. 실제 북미의 백만장자 중 80% 이상이 1세대 부자들이다. 즉, 무에서 부를 창출한, 자수성가한 사람들이라는 뜻이다.

당신도 똑같이 하지 못할 이유는 없다. 하지만 먼저 부자는 탐욕스럽거나 그런 식으로 태어나야 한다는 잘못된 신화를 버려야 한다.

신화 5. 타고난 본성은 바꿀 수 없다

유전학이 우리의 발달과 삶에서 특정한 임무를 수행하는 능력에 중요한 역할을 한다는 것은 의심의 여지가 없다. 하지만, 태어난 그대로 살 수밖에 없고 자신이 바꿀 수 있는 것은 아무것도 없다고 믿는 사람들도 많다. 예를 들어, 많은 사람들이 수줍음이 많거나 수동적이며, 그것이 타고난 본성이라 바꿀 수 없다고 믿는다.

의지력, 자립성, 창의력, 훈련, 주장 및 기타 여러 성격 특성에 대한 사람들의 신념도 마찬가지다.

많은 사람들이 분노, 좋지 않은 건강, 낮은 자존감, 꾸물거리거나 심약한 문제를 가지고 있으며 부모나 국적, 문화적 양육, 그리고 다른 많은 이유로 자신이 그런 거라고 생각한다.

실제로, 이러한 모든 특성은 평생 반복되는 선택으로 인해 형성된 습관의 결과일 뿐이다. 일단 이러한 선택이 습관이 되면, 사람들은 그것이 더 이상 선택이 아니라는 깊은 믿음을 갖게 된다.

당신의 삶과 습관은 유전학이나 환경의 산물이 아니다. 그것은 당신이 내린 선택의 산물이다. 그리고 이제 당신은 인생을 당신 방식대로 사는 데 필요한 모든 변화를 선택하는 방법을 배우게 될 것이다.

경이로운 생각의 힘을 연마하는 법

○ ○ ○

자신의 생각이 얼마나 강력한지 생각해 본 적이 있는가? 대부분의 사람들은 생각이 손을 뻗어 잡을 수 있는 것이 아니라는 사실 때문에 결코 그렇게 생각하지 않는다. 생각은 마음속에서 일어나기 때문에, 외부 현실과는 무관한 것으로 보고 너무나 쉽게 무시한다.

그 결과 많은 사람들이 자기 생각의 힘을 과소평가하고, 마음을 통제하고 집중하는 법을 배우려 하지 않는다. 그러나 뇌에서 일어나는 일에 의식적인 노력을 기울인다면, 실제로 생각이 인생에서 진정으로 원하는 것을 얻는 데 도움이 된다는 사실을 알게 될 것이다.

마음은 흥미로운 곳으로, 농부의 땅처럼 잠재력으로 가득 차 있다. 원하는 종류의 과일을 생산할 씨앗을 심고 기르기 위해 적극적으로 노력하지 않는다면, 원하지 않는 다른 많은 것을 가지게 될 수 있다.

대부분의 사람들의 마음은 부정적이고 힘을 흐트러뜨리는 생각으로 가득 차 있다. 그것은 사람들이 그런 생각을 선택했기 때문이 아니라, 더 많은 힘을 주는 생각을 선택하지 않았기 때문이다.

하지만 그런 부정적인 생각은 어디에서 오는 것일까? 생각은 과거의 경험, 교육, 조건화(처음에 우리가 얘기한 프로그램)의 직접적인 결과다.

세상이 어떻게 돌아가는지에 대한 믿음에 영향을 미치는 것은 바로 이런 생각들이며, 그 믿음은 당신의 세계와의 상호작용에 영향을 미친다. 이러한 상호작용에는 인간관계, 돈을 벌고 부를 쌓으려는 노력, 식습관, 신체 활동, 그리고 라이프스타일을 구성하는 결과를 창출하는 수백 가지 다른 것들이 포함된다.

이것을 고려할 때, 생각이 얼마나 중요한지에 대해 다시 생각해 보는 것이 좋을 것이다. 세상이 어떻게 작동하는지에 대해 다른 신념, 즉 다른 행동을 고무하고 다른 결과를 만들어내는 신념을 쌓을 수 있는 다른 생각을 선택할 수 있다면, 당신의 인생에서 어떤 결과를 만들어낼 수 있을지 상상해보라.

그렇다면, 정말로 원하는 결과를 이끌어낼 생각을 어떻게 선택할 수 있을까? 우선 자신이 진정으로 원하는 것과 일치하는 생각을 선택하는 것부터 시작하라.

이미 그렇게 하고 있다고 생각하는가? 자, 한 번 생각해보자.

대부분의 사람들은 자신이 원하는 것보다 원하지 않는 것에 대해 훨씬 더 강한 개념을 가지고 있다. 누구에게든 직장에서, 인간관계에서, 재정적인 면에서, 건강 면에서 무엇을 원하는지 물어보라. 아마도 그들은 피하고 싶어 하는 수많은 것들을 늘어놓을 것이다.

왜냐하면 그들은 항상 원하지 않는 것에 대해 생각하기 때문이다. 이러한 생각은 세상이 어떻게 돌아가는지에 대한 그들의 믿음에 영향을 미친다. 이러한 부정적인 개념은 행동에 영향을 미치며, 행동은 그러한 행동을 이끌어낸 씨앗(=생각)과 일치하는 결과를 낳는다.

생각 => 감정 => 행동 => 결과

여기서 질문을 던져보자.

사고방식이 절대 바뀌지 않는다면 앞으로도 어떤 결과를 계속해서 얻게 될까? 당신이 할 일은 당신이 얻는 결과를 보는 것이다. 그 안에 답이 있다.

생각이 어떻게 만들어지고, 그것을 바꾸기 위해 무엇을 할 수 있는지 살펴보자.

먼저, 생각에는 시각적 사고, 청각적 사고, 그리고 머릿속에서 행동하는 촉각적 사고, 이렇게 세 가지가 있다.

예를 들어,

코끼리를 떠올려보라. 그것이 시각적 사고다. 소리 내지 말고 이 글을 읽어보라. 그것이 청각적 사고다. 차를 운전한다고 상상해보라. 그것이 촉각적 사고다.

가장 쉽게 알아차리는 것, 당신이 하는 말, 취하는 행동. 이것들은 모두 당신의 외부 행동에 영향을 미친다. 다행히도 이런 행동은 시각적, 청각적, 촉각적 사고를 선택함으로써 모두 변경할 수 있다.

이것은 어떻게 가능한 것일까?

먼저 뇌는 신체의 일부라는 것을 이해하라. 뇌나 뇌의 발달에는 마법이나 영적 요소는 전혀 없다. 반복적인 운동을 통해 신체의 다른 부분을 조절할 수 있듯이, 뇌 역시 조절할 수 있다.

하지만, 처음 뇌를 조율하기 시작할 때는 그것이 불가능한 과제처럼 보일 수 있다는 점을 명심해야 한다. 처음 1마일을 달리거나, 역기를 들거나, 자전거를 타는 등 한 번도 전에 해본 적이 없었던 운동에 도전했을 때를 생각해보라.

처음에는 모든 것이 불가능해 보이고 포기하고 싶었을지도 모른다. 하지만 손에서 놓지 않고 계속 해나가면 그것이 점점 더 쉬워지면서 마침내 제2의 천성으로 자리 잡기까지 한다는 것을 알게 된다.

처음 걷거나 말하기, 읽는 법을 배웠을 때 수차례 시도하는 것이 필요했을 것이다. 그렇지 않은가? 그리고 지금 그것이 얼마나 쉬운지 생각해보라. 그러므로 뇌를 조절하기 위한 몇 가지 운동을 살펴보면, 이런 연습에는 약간의 노력이 필요하며 처음에는 거의 불가능해 보일 수도 있다는 점을 기억해야 한다.

하지만 충분한 연습을 하면, 자연스럽게 정말로 원하는 생각을 선택하는 습관을 키울 수 있다. 이런 생각은 신념이 되고, 그 신념은 행동에 영감을 줄 것이며, 그러한 행동은 당신이 이 지구에서 정말로 어떻게 시간을 보내고 싶은지에 상응하는 결과를 만들어낼 것이다.

잡지나 인터넷에서 당신이 원하는 것을 보여주는 사진을 수집하라. 포스터 보드를 구해서 좋아하는 사진을 정리하여 비전 보드(vision board)를 만들라.

정말로 원하는 것의 사진뿐만 아니라, 비전 보드에 당신의 사진을 몇 장 첨부하라. 이렇게 하면 실제로 자기 자신과 진정으로 원하는 것을 일동한 그림의 일부로 보게끔 마음이 훈련된다.

매일 볼 수 있는 곳에 비전보드를 놓고, 그것을 바라보는 시간을 갖도록 하라. 충분한 반복하면 그 이미지가 마음속에서 지배적인 자리를 차지하게 된다.

또한 당신이 정말로 원하는 삶에 상응하는 것들을 알아차리기 시작할 것이다. 충분한 연습이 쌓이고 나면, 이 새로운 생각들이 당신의 행동에 영향을 미치고 새로운 결과를 낳기 시작할 것이다.

지금 바로 앉아서 인생에서 진정으로 원하는 것과 일치하는 세 가지 생각을 적어보라. 구체적으로 작성하라. 이것을 하는 가장 좋은 방법은 자신이 진정으로 원하는 결과를 생성하는 데 필요한 성격적 특징이 무엇인지 스스로에게 물어보는 것이다. 일단 이러한 특성을 파악하고 나면, 그것을 기록해서 매일 접근할 수 있는 곳에 붙여두라. 욕실 거울에 테이프로 붙이거나, 데스크톱에 메모를 하거나 침대 옆 탁자에 보관하라.

이런 확언은 진정으로 원하는 것을 얻기 위해 당신이 되어야 할 사람과 일치하는 청각적 사고를 만드는 데 도움이 될 것이다.

여기에 몇 가지 예가 있다.

사업을 시작하거나 더 나은 캐리어를 쌓고 싶다면,

"나는 창조적이고, 자립적이며, 설득력이 있다."

몸을 더 잘 돌보고 싶다면,

"나는 몸을 단련하며, 활동적이고 신중하게 먹는 사람이다."

더 나은 관계를 원한다면,

"나는 재미있고, 친절하며 자비로운 사람이다."

이 연습이 효과를 발휘하려면 매일 반복해야 한다. 최선의 결과를 얻으려면, 아침과 저녁에 큰소리로 확언을 소리쳐라. 비전 보드 연습과 마찬가지로, 이것은 당신이 진정으로 원하는 것에 따라 청각적 사고를 바꾸기 시작할 것이다. 그런 사고는 신념을 변화시킬 것이며, 그 신념은 이상적인 자신의 버전이 되기 위해 취해야 할 행동을 창출해낼 것이다.

이제, 당신은 이 모든 확언이 한 가지 공통점을 가지고 있다는 것을 알아차릴 수 있을 것이다. 모든 확언은 주로 원하는 것을 얻기 위해 당신이 어떤 사람이 되어야 하는지에 초점을 맞추고 있다.

물론, 다음과 같이 말할 수도 있다.

"나는 건강하고, 날씬하며, 재정적으로 안전하고, 좋은 인간관계를 가지고 있다."

하지만 그 대신, 건강하고, 날씬하며, 재정적으로 안전하고, 좋은 친구나 파트너가 될 수 있는 특성과 습관에 초점을 맞춘다면, 결과는 자연스럽게 따라올 것이다.

촉각적 사고 연습은 몸 전체를 사용해야하기 때문에 조금 더 복잡하다. 하지만 조금만 창의력을 발휘하면, 진정으로 원하는 것을 반영하는 물리적인 것을 얻는 방법을 생각해낼 수 있다.

예를 들어, 작가이자 성공 코치인 잭 캔필드(Jack Canfield)는 "미래 모습으로 참석하기"라는 파티에 대해 쓴 적이 있다. 참가자들은 5년 안에 자신이 되고 싶은 사람으로 왔다. 일부는 국제 비즈니스 컨설턴트, 일부는 강사, 다른 일부는 성공 코치의 모습이었다. 심지어 파티에서 친구에게 건네줄 가짜 명함을 만들어서 가져온 이들도 있었다.

원하는 것을 얻기 위해 행동을 취해야 함을 기억하는 것도 중요하지만, 이러한 종류의 경험은 행동에 영감을 주는 생각을 선택하는 데 도움이 될 수 있다.

다음은 당신이 할 수 있는 몇 가지 예시다.

사고 싶은 특정한 집이 있다면, 그 유형의 주택이 있는 동네를 돌아다니면서 시간을 보내라. 사진을 찍거나, 동네를 산책하라. 그러면서 그 동네에 살고 있는 척하고, 당신 집이 불과 몇 블록 떨어지지 않았다고 상상하라.

사고 싶은 차가 있다면, 가서 시험 주행을 해보라. 차에 앉아서 그 차를 소유하고 있다고 상상하라. 마음속에 그 사실이 분명하게 기억될 때까지 그 경험 속으로 들어가라.

마라톤에 대한 야망이 있지만 지금 당장은 하루에 1마일밖에 달리지 못한다면, 매일 달리기를 마치면서 마지막 21마일을 돌파한 자신의 모습을 실감나게 상상해보라.

식습관을 통제하려는 욕구가 있다면, 아직 음식이 남아 있는 동안 접시를 밀어내는 연습을 하라. 이것을 여러 번 반복하면서 날씬하고 건강한 자신의 모습을 그려보라.

이런 연습은 청각적, 시각적 연습과 함께 마음을 형성하는 데 도움이 될 것이다. 이 책에서 장기적인 야망에 대해 잠재의식에 생각을 심는 법을 배우면, 이 책에서 다루는 나머지 연습은 쉽게 해낼 수 있을 것이다.

최고의 자아 되기

○
○
○

최고의 자아가 된다는 것은 무엇을 의미하는가?

전에 단 한 번도 최고의 자아가 되어본 적이 없다면? 어떤 특성을 연구할지 어떤 기준으로 정할 수 있을까? 너무 높은 목표를 설정하고 있는 것은 아닌지, 목표가 너무 낮은 것은 아닌지 어떻게 알 수 있을까?

최고의 자아가 무엇인지 어떻게 알 수 있을까? 그리고 그 존재가 되려면 어떻게 해야 할까?

이 모든 것에 대해 걱정할 필요 없다. 대신, 방해가 되는 것들을 없애는 과정으로서 최고의 자아가 되는 것을 생각하라.

진정한 자신이 되는 것은 결코 억지로 강요하거나 어색해지는 것이 아니다. 대신, 모든 면에서 완전히 자연스럽게 느끼고 편안해지는 것이다. 더 이상 그렇게 될 때까지 그런 척하는 사기꾼처럼 느끼지 않는 것이다.

최고의 자아를 향한 첫걸음은 먼저 자신의 진정한 잠재력을 발견하지 못하게 하는 것을 이해하는 것이다. 몇 가지를 살펴보자.

1. 타인의 생각

모든 사람이 상황이 어떻게 되어야 하는지에 대해 자기 식대로 의견을 가지고 있으며 그래도 괜찮다. 하지만 당신은 당신 삶과 선택이 절대 다른 사람의 의견에 의해 좌우된다고 느끼지 말아야 한다. 이 책을 읽고 있는 동안, 당신은 아마도 자신이 누구인지, 인생을 어떻게 살아야 하는지에 대해 의견을 가진 이들을 적어도 몇 사람 떠올릴 수 있을 것이다.

때로 그들의 생각과 견해는 부정적일 수도 긍정적일 수도 있다. 그러나 한 가지 확실한 것이 있다.

이 의견들은 당신이 진짜 누구인지와는 아무런 관계가 없다는 것이다.

그것은 단순히 당신에 대한 그들 자신의 인식을 나타내는 것일 뿐이다. 때로 그것은 긍정적일 수도 있지만, 당신이 진정한 자신이라고 믿는 것을 진실하게 표현하지 않는다면, 그것은 당신이 최고의 자아가 되는 데 방해가 될 수 있다.

모방은 누구도 위대하게 만든 적이 없다. 감탄하고 존경하는 사람을 흉내 내고 있다고 해도, 당신은 자기 자신이 될 수 있는 것처럼 다른 사람이 되는 것을 결코 잘하지 못할 것이다. 당신은 당신이 되고 싶은 사람 외에 다른 사람이 될 책임이 없으며, 그것은 오직 당신만이 내릴 수 있는 결정이다.

또한 다른 사람들의 의견이나 당신에 대한 인식, 그 의견과 인식이 좋든 나쁘든 거기에 당신의 책임은 없다. 당신이 책임지는 유일한 것은 스스로에게 진실하고, 진정한 자신을 아는 것이다.

당신이 어떤 사람이 되든, 좋든 나쁘든, 어딘가의 누군가는 항상 그것에 대해 부정적인 견해를 가질 것이다. 그것은 당신의 문제가 아니다. 그들의 문제고, 그들의 책임이다. 그러니 그냥 내버려두라!

2. 약점과 의심

누구나 자기 자신에 대해 확신하는 특징과 재능이 있는 것처럼, 자신이 달성할 수 있는 것에 대해 의심을 갖는 부분이 있다. 당신이 인생에서 어떤 사람이 되는가는 자신의 강점에 집중하는지 약점에 초점을 맞추는지 여부에 달려 있다.

물론, 원하는 것을 얻기 위해 바꿔야 할 성격 영역을 파악하는 것은 중요하다. 하지만 약점 자체에 집중하는 것보다 약점을 바로잡기 위한 구체적인 행동 계획에 초점을 맞추는 것이 더 좋다.

이런 식으로 생각해보라. 약점과 불안을 숨기거나 부끄러움을 느끼는 데 끊임없이 집중하고 있다면, 그것은 마치 돋보기를 위에 올려놓는 것과 같다. 이런 일이 일어나면, 그것은 마음속에서 지배적인 생각이 되어 당신의 자아상과 신념에 영향을 미치기 시작한다. 그러면 그 믿음은 행동에 영향을 미치고, 행동은 당신의 결과와 삶을 만들어낸다.

익숙한 소리처럼 들리지 않는가?

다른 사람이 이것을 알아차릴지 궁금해할까봐 하는 말인데, 사람들은 알아차린다. 사실, 당신이 생각하는 것보다 더 분명하게 인식한다. 그것이 나쁜 소식이다.

좋은 소식은 당신의 강점도 마찬가지라는 것이다. 만약 계속해서 자기 성격의 강점을 개발하는데 집중한다면, 그것은 모든 좋은 것 위에 돋보기를 올려놓는 것과 같다. 이런 일이 일어나면, 잘하고 있는 것이 마음속에서 지배적인 생각이 되어 긍정적인 자아상과 신념을 형성하기 시작한다. 그러면 그 믿음은 행동에 영향을 미치고, 행동은 신념을 강화하고 당신의 삶과 정체성을 만들어낸다.

3. 현재 결과

생각이 신념과 자아상을 만들어 내고, 신념이 행동에 영향을 미치고, 행동이 생활양식과 정체성을 형성한다는 사실을 고려할 때, 현재의 결과가 만족스럽지 않다면 자기 자신에 대해 기분이 나빠지기 쉽다.

하지만 현재 삶의 상황은 당신이 어떤 존재였는지를 나타내는 것이지 지금 당신이 누구인지를 나타내는 것이 아님을 잊지 말아야 한다. 오늘 다른 사람이 되는 데 집중하기 시작한다면, 현재의 결과가 바뀔 것이라고 확신할 수 있다. 하지만 먼저 현재의 결과가 자신의 정체성을 나타낸다는 생각부터 버려야 한다.

사실, 외부 환경이 당신의 정체성을 정의하는 것을 절대 허락하지 말아야 한다. 그렇게 한다면, 인생 상황과 마찬가지로 자아상과 자신감은 요동칠 것이다. 본인과 본인이 결정한 기준에 따라 바위처럼 단단한 자기 이미지를 개발하는 것이 더 낫다.

이를 통해 인생의 어떤 어려움도 견뎌내고, 행동이 상황에 영향을 받는 대신 자신의 진정한 가치와 일치하도록 할 수 있다.

이제 무엇이 방해가 되는지 알게 되었으니, 내일 최고의 자아가 되기 위해 오늘 시작할 수 있는 몇 가지를 살펴보자.

1. 진정으로 무엇을 원하는지 결정하라

재정 생활, 건강, 인간관계, 경력에서 진정으로 원하는 것을 목록으로 만들어라. 이런 것들을 어떻게 성취할지 생각하려고 멈추지 마라. 이 연습의 목적은 그런 데 있지 않다.

삶에서 진정으로 원하는 것을 바탕으로 자기이해를 쌓아야 한다. 이렇게 하면, 가장 깊은 욕망이 마음속에 있는 것을 가장 정확하게 표현한다는 것을 알게 될 것이다. 자신의 바람을 잘 이해할수록, 최고의 자아를 더 잘 알게 될 것이다.

이렇게 하는 동안, 정직해야 한다. 다른 사람들이 어떻게 생각할지에 대해서는 걱정하지 마라. 다시 말하지만, 그런 것은 당신이 고민할 문제가 아니다. 다른 사람이 당신의 꿈이 어리석고 비현실적이며 이기적이거나 부도덕하다고 믿는다고 해도 걱정하지 마라.

그들의 의견은 당신이 어떤 사람이 "되어야 하고" 어떻게 "살아야하는지"에 대한 그들 자신의 경험과 인식만을 나타낼 뿐이다. 이 사람들은 당신의 삶을 살거나 당신이 가진 재능을 최대한 활용할 책임이 없다.

당신이 최고의 자아가 되고 꿈을 추구할 책임이 있는 유일한 사람이다. 누구도 당신을 위해 그렇게 하지 않을 것이며, 그렇게 해주기를 기대해서도 안 된다.

또한, 약점이나 불안감으로 인해 원하는 것을 결정하지 못하게 되고, 현재 상황이 당신에게 영향을 미치지 않도록 하라. 그러면 지금 가진 것보다 더 많은 것을 얻게 될 것이다.

2. 무엇을 대가로 내줄 것인지 결정하라

세상에 거저 얻을 수 있는 것은 없다. 다르게 말하는 사람은 무언가를 당신에게 팔려고 하는 것이다. 재정적 삶, 건강, 인간관계, 경력에서 무엇을 원하는지 결정함에 있어, 이상적인 생활양식에 대한 대가로, 무엇을 제공할 것인지 결정하는 것이 중요하다.

이런 영역에서 꿈이 크다면, 행동을 취하겠다는 의지 또한 커야 한다. 그렇지 않으면 결국 목표에 미치지 못하게 되거나, 오랫동안 유지할 수 없게 될 것이다.

예를 들어, 자신의 삶에 끌어당기고 싶은 어떤 유형의 사람이 있다면, 그들을 끌어들이고 의미 있는 관계를 구축하기 위해 어떤 사람이 되어야 할지 스스로에게 물어보라.

이상적인 캐리어에서 일정 금액 이상의 재정적 안정과 입지를 원한다면, 먼저 원하는 것을 얻기 위해 무엇을 희생할 것인지 정해야 한다. 지금 당장 교육에 많은 시간을 할애해야 하는가, 아니면 자신의 사업을 구축하기 위해 몇 년 동안 노력해야 할 것인가?

마지막으로, 날씬하고 건강하기를 바란다면, 이상적인 신체에 대한 대가로 무엇을 내줄 것인지 결정하라. 매년 수백만의 사람들이 다이어트 약과 유행성 식단에 천문학적인 돈을 소비하지만, 결국 이러한 소위 지름길에 시간과 돈, 희망을 낭비하고 있다는 것을 알게 된다. 왜냐하면 그들은 장기적인 식습관을 바꾸거나 더 나은 몸을 육성하는 데 기꺼이 시간을 투여하지 않았기 때문이다.

사람들이 이상적인 캐리어, 인간관계 및 재정적 안정을 추구하는 방식에서도 비슷한 실수를 저지른다.

건강, 재정적 안정, 좋은 인간관계, 좋은 경력으로 가는 지름길이란 없다는 것을 빨리 받아들일수록, 이를 달성하기 위한 실질적인 행동 계획에 더 빨리 참여할 수 있다.

3. 액션 플랜을 작성하라

이 단계는 매우 간단하지만, 대부분의 사람들은 원하는 것을 아는 것으로 충분하다고 생각하기 때문에 크게 신경 쓰지 않는다. 하지만 그렇지 않다. 원하는 것을 얻기 위해 필요한 변화를 어떻게 만들 것인가에 대한 구체적인 액션 플랜을 세워야 한다.

전반적인 계획의 한 부분으로, 앞에서 소개한 사고 연습을 포함하라. 이것은 원하는 것을 얻기 위해 당신이 되어야 할 사람이 되는 데 도움이 될 것이다.

가장 중요한 것은 계획을 적어두는 것이다.

계획은 실행에 옮기기 시작하면서 달라질 것이다. 무엇이 효과가 있고 무엇이 효과가 없는지, 그리고 올바른 과정을 측정해야 한다. 이렇게 하는 유일한 방법은 필요할 때마다 다시 돌아가서 행동을 수정할 수 있도록 기록을 유지하는 것이다.

4. 행동하라

원하는 걸 얻는 데 있어 내일이란 없다. 행동해야 한다.

그리고 행동할 수 있는 유일한 시간은 바로 지금이다.

내일을 생각하고 내일을 꿈꿀 수는 있지만, 그것이 미래에 대해 할 수 있는 전부이다. 과거도 마찬가지다.

나중으로 미루는 습관을 들인다면, 당신은 불변의 성공 법칙을 무시하고 있다.

행동 없이는 아무 일도 일어나지 않으며, 행동은 지금 당장에만 취할 수 있는 것이다.

결정을 내리지 않거나 미루는 습관이 있다면, 그런 유혹이 다가올 때마다 이 진실을 상기하라.

나중이란 없다. 지금 실제 행동이 부족할 뿐이며, 당신은 몽상가처럼 꿈만 꾸고 있는 것이다.

유명한 무술가이자 영화배우 이소룡의 다음 인용문을 읽고 영감을 얻어보자.

나, 이소룡은 미국에서 최고의 대우를 받는 최초의 동양인 슈퍼스타가 될 것이다. 그 대가로 나는 가장 흥미진진한 공연을 제공하고 배우로서 최고의 능력을 발휘할 것이다. 1970년부터 나는 세계적인 명성을 얻을 것이고, 그때부터 1980년 말까지 10억 달러를 벌 것이다. 나는 내가 원하는 대로 살고 내면의 조화와 행복을

이룰 것이다.

　그는 1969년에 이 말을 했고, 1973년에 세상을 떠날 때까지 그 짧은 세월 동안 자신이 설정한 것 이상을 달성했다. 하지만, 그의 여정이 실제 그 시점에 시작된 것은 아니었다. 1969년까지 그는 이미 슈퍼스타에 다가갈 수 있는 자신감과 노하우를 제공할 수 있는 일련의 개인적인 성공을 경험한 바 있었다.

마음을 마스터하라

○
○ ○
○

액션 플랜을 실천하기 시작하면 두려움과 불확실성이 마음을 흐리게 하고 목표에 계속 집중하기가 어려워질 것이다. 사실, 두려움과 불확실성에 근거한 부정적인 사고방식은 완전히 자발적인 것처럼 보이며, 그것에 대해서는 아무것도 할 수 없는 것처럼 보인다.

그러나 실제로 할 수 있는 일이 많이 있다.

먼저, 앞에서 다룬 사고 연습을 일관되게 실천하라. 생각의 놀라운 힘을 연마하라.

둘째, 원하는 것을 명확하게 그려보고, 그것을 달성하기 위한 탄탄한 액션 플랜을 세워라.

하지만 의식구조를 마스터하는 세 번째 원칙에서 많은 사람들이 어려움을 겪는다. 그 원칙은 부정적인 상황에서 비롯되는 자동화된 사고와 감정을 통제하는 법을 배우는 것이다.

아마도 전에 이런 일을 경험한 적이 있었을 것이다. 당신은 원하는 것을 분명히 알고 있고, 그것을 달성하기 위해 행동하고 있다. 그러다가 어느 날 갑자기 돛에서 바람이 완전히 빠져나가듯, 의욕과 동기가 사라진다.

동기를 상실하는 원인은 중요하지 않다. 중요한 것은 그 원인과 당신의 사고방식과 감정 상태의 갑작스런 변화에 대한 반응이다.

다시 말해, 그런 사건을 장애물과 같은 것으로 보고 있는 가, 아니면 장애물을 새로운 정보를 바탕으로 무언가를 배우고 액션 플랜을 업데이트할 수 있는 기회로 삼는가 하는 것이다.

문제와 기회의 차이는 그것에 대한 당신의 반응에 있다. 모든 문제는 목표 달성과 최고의 자아가 되기 위해 심을 수 있는 씨앗을 지니고 있다.

이 차이를 극복하기 위해서는 인생의 모든 부정적인 상황이 제시하는 세 가지 기회를 이해해야 한다.

문제는 훌륭한 교사이며 실패 또한 마찬가지다. 사실, 문제와 실패는 종종 성공보다 더 나은 교사이다. 인생에서 가장 최근에 겪었던 문제나 실패에 대해 생각해보라. 그것으로부터 무언가 배웠는가? 그렇지 않다면 잠시 시간을 내서 문제에 대해 다시 생각해보고, 어떤 교훈을 놓쳤는지 자문해보라.

이렇게 하는 법을 더 많이 배울수록, 부정적인 상황을 장애물이 아닌 기회로 볼 수 있게 된다. 또한 두 번째 기회가 다가올 때 미래의 선택에 대해 보다 현명하게 대응할 수 있다.

부정적인 일이 일어날 때마다 선택지가 생긴다. 선택은 당신을 더 나은 사람으로 만들 수도 더 나쁜 사람으로 만들 수도 있다. 그러므로 모든 부정적인 상황은 당신이 그것을 통해 성장할 것인지, 아니면 자신감을 약화시키고 진정으로 원하는 것을 추구하려는 동기를 훼손하게끔 허용할지에 대한 시험이다.

부정적인 상황 때문에 더 나쁜 사람이 되기로 선택한다면, 당신은 상황에 굴종하겠다고 선택하는 것이다.

반대로 더 나은 사람이 되기로 선택한다면, 부정적인 상황을 물리칠 수 있다. 그런 경우, 모든 문제가 제시하는 세 번째 기회를 이용할 자유가 주어진다.

모든 부정적인 상황이 무언가를 배우고 더 나은 사람이 될 수 있는 기회를 제공한다는 사실을 고려하면, 부정적인 상황이 왜 동기를 부여할 수 있는지 쉽게 알 수 있다. 이 동기를 이용하고 더 큰 지혜와 열정과 결단력을 갖고 앞으로 나아가기로 선택하면 부정적인 상황을 긍정적인 상황으로 바꿀 수 있다.

일이 잘 풀리면 안주하고자 하는 것은 인간의 본성이다. 너무 편안해지는 것의 문제는 우리가 편안한 곳을 넘어서 새로운 것을 경험할 수 없게 한다는 것이다. 자기주도적인 사람조차 배우고 성장하도록 도전하고 동기를 부여하기 위해서는 부정적인 상황이 필요하다.

따라서 인생 계획을 실천하면서 이 세 가지를 기억하고, 모든 상황을 당신의 계획을 다듬고, 성장하고, 최고의 자아가 되기 위한 여정을 지속시켜주는 기회로 삼아라.

이 글을 읽으면서 당신은 아마도 계획을 실행하는데 필요한 자원, 시간과 돈, 지식을 어떻게 얻을 수 있을지 궁금할 것이다.

하지만 시간과 돈, 지식보다 훨씬 더 중요한 자원이 한 가지 더 있다.

이상적인 몸을 위해 마음을 조율하라

○
○
○

목표가 무엇이든, 그것을 달성하기 위해 필요한 것이 하나 있다. 바로 에너지다. 생각조차 에너지를 필요로 하고, 에너지를 더 많이 가질수록 생각을 통제하기가 쉬워진다.

무언가를 해야 하지만 너무 지쳐 있다는 사실을 깨달은 적이 몇 번이나 있었는가? 다른 것을 할 신체적 정신적 에너지가 부족하여 그냥 TV 앞에 앉았던 적이 언제였는가? 아침에 운동할 계획이었지만 침대에서 일어날 힘조차 짜내지 못한 적은 없었던가?

좋든 싫든, 이 모든 것은 당신의 신체 상태가 인생에서 진정으로 원하는 것을 성취하기에 충분하지 않다는 징후다.

시간보다, 기회보다, 지식보다, 돈보다도 물리적 에너지야말로 최고의 자아가 되기 위해 반드시 가져야 할 유일한 원천이다.

그래서 이것에 대해 무엇을 할 수 있을까? 아마도 올바른 식단과 규칙적인 운동이라는 두 가지는 이미 알고 있을 것이다.

다이어트나 운동을 필요로 하지 않고도 이상적인 신체를 개발할 수 있다는 솔루션을 파는 사람들이 있다. 하지만, 결론적으로 말해서 신체는 자연의 시스템이며 이러한 솔루션은 자연의 원리에 들어맞지 않는다. 만약 그런 솔루션으로 살을 뺀다면, 그것을 손에서 놓는 순간 곧바로 다시 원래 상태로 돌아가고 말 것이다.

이상적인 신체를 얻으려면 이상적인 신체를 형성하는 것을 지원하는 식단과 활동을 갖춰야 한다. 하지만 만약 당신에게 시작에 필요한 에너지나 훈련, 의지가 없다면?

대부분의 사람들이 놓치고 있는 한 가지가 더 있기 때문에 여기서 문제가 발생한다. 몸과 에너지 수준을 높이는 습관을 형성하려면 이렇게 해야 한다. 즉, 자연스럽게 균형 잡힌 식사를 하고 규칙적으로 운동하게끔 이끌어 줄 올바른 마음과 신념을 개발해야 한다.

그렇다면 건강한 몸을 이루기 위해 필요한 이상적인 마인드를 어떻게 개발할 수 있을까?

몸을 소중히 하라

당신이 살고 있는 몸은 남은 평생 동안 당신을 지속시켜야 한다. 항상 원했던 삶을 즐기기 위해 필요한 모든 것을 제공하기 위해 당신이 유일하게 의지하는 것이 바로 몸이다. 몸을 돌보지 않으면, 인생의 모든 영역에서 고통을 겪게 된다. 경력을 쌓고 인간관계를 관리하는 데 필요한 초점과 규율이 부족해진다. 인생의 모든 순간에서 잠재력을 짜낼 에너지도 부족해진다. 요컨대, 당신의 잠재력과 일치하지 않는 에너지 수준을 갖는 것은 인생을 자신이 바라는 대로 사는 데 직접적인 장애가 된다.

나이가 들어감에 따라 몸을 돌보는 방식이 삶의 질과 신체적 독립성을 점점 더 많이 결정하게 될 것이다. 당신의 몸은 어떤 대가를 치르더라도 대체될 수 없으며, 신체가 제공하는 혜택은 값을 헤아릴 수 없다.

다음에 몸에 정크 푸드를 넣거나 건강한 몸을 갖도록 격려하는 활동을 무시하기로 할 때, 이 점에 대해서 생각해 보라. 그러면 몸을 소중히 여기고 더 잘 보살피는 데 도움이 될 것이다.

몸의 필멸성을 인정하라

몸은 자연의 시스템이며, 당신이 통제할 수 없는 원칙에 따라 스스로를 지배한다. 당신이 통제할 수 있는 유일한 것은 신체의 건강 습관을 자연의 원칙과 일치시키는가 아닌가 하는 것이다. 인정해야 할 핵심은 몸이 영원히 지속되지 않는다는 사실이다.

나이가 들어감에 따라 신체는 무너지고 언젠가 완전히 멈출 것이다. 우울한 소리처럼 들릴지 모르지만, 많은 사람들이 젊었을 때 몸의 죽을 수밖에 없는 운명을 인정하지 않기 때문에 나이가 들면서 너무도 일찍 무너져서 죽는다.

그들은 마치 자기 몸이 파괴될 수 없는 것인 양 일상의 운동, 건강한 식습관, 그리고 숙면이라는 단순한 원칙을 무시한다. 그러나 이런 방기(放棄)가 신체에 피해를 주기 시작하는 것은 단지 시간문제일 뿐이다.

그럴 때, 대부분의 사람들은 건강이 악화되는 상황을 막을 수도 있었기 때문에 젊었을 때 몸을 돌보지 않은 것을 후회한다.

그러므로 이제 죽을 수밖에 없는 몸의 운명을 인정하고 그에 따라 몸을 돌보기 시작하라.

마음을 컨디셔닝하는 데 전념하려면, 식습관이 어떻게 몸의 기능에 영향을 미치는지, 활동과 생활방식이 에너지에 어떤 영향을 미치는지, 그리고 몸을 돌보는 것의 중요성에 대한 인식을 높일 수 있는 다른 것도 알아야 한다.

건강에 해로운 습관을 가진 대부분의 사람들은 그러한 습관이 신체에 어떤 영향을 미치는지 제대로 알지 못한다. 이러한 무지는 건강에 나쁜 습관을 발전시키는 원인이 되고, 긴급하게 습관을 바꾸고자 하는 마음을 육성하지 못하게 가로막는다.

하지만 몸이 실제로 어떻게 작동하는지 배우기 시작하면, 몸이 얼마나 가치 있는지에 대해 새롭게 감사하게 된다. 또한 자신의 죽음에 대한 더 강한 감각을 갖게 된다. 이 두 가지 모두 열정과 인내로 꿈을 추구하기 위해 필요한 물리적 에너지를 제공하는 몸을 만들도록 동기를 부여할 것이다.

긍정성으로 가는 7 단계

○
○
○

성공이 주관적인 경험이라고 해도, 긍정성에 관한 한 모든 이들을 도울 수 있는 근본적인 원칙과 단계가 있다. 이어지는 글에서 보다 긍정적인 사고방식을 이루기 위해 사용할 수 있는 다양한 단계에 대해 살펴보겠다.

인생에서 무엇이든 성취하려면 에너지가 있어야 한다. 에너지는 존재의 기초일 뿐만 아니라 우리 삶의 모든 것을 현실적이고 가능하게 만드는 연료다. 그러므로 마음속에 있는 목표와 아이디어를 이 물리적 세계로 가져오기 위해 필수적인 에너지를 갖는 것의 중요성을 이해할 필요가 있다.

이 과정은 건강한 몸과 마음을 유지하는 것으로 시작한다. 현재 다른 사람을 위해 일하고 있든, 주인이 되어 일하고 있든 상관없이 매주 운동할 수 있는 개인적인 시간을 따로 마련해두는 것이 매우 중요하다. 앉아서 일한다면, 이것은 단지 중요한 에너지에 관한 것이 아니라, 양질의 삶을 사는 데 필요한 건강에 있어서도 중요하다.

1. 수분을 유지하라

건강한 몸과 관련하여 명심해야 할 한 가지는, 물은 건강에 필수적이라는 것이다. 신체는 약 70%의 물로 구성되어 있으며, 따라서 몸에서 적절한 비율의 수분을 유지하기 위해 매일 충분한 물 섭취를 하는 것이 매우 중요하다.

사람마다 체형에 따라 물이 필요한 정도는 각기 다르다. 따라서 일반적인 권장량인 하루 여덟 잔의 물로 충분하지 않을 수도 있다. 목이 마르면 이미 탈수되었다는 신호이며, 가능한 한 빨리 수분을 흡수해야 한다.

2. 명상으로 마음을 정화하라

명료하게 사고하기 위해서는 맑은 정신이 필요하다. 마음이 산만해지면, 생각은 정확한 그림을 만들지 못할 수 있다. 이것은 정확한 답을 얻기 위해 항상 0으로 시작하는 계산기를 사용하는 것과 같다. 다시 0으로 설정하지 않고 같은 계산기를 계속 사용한다고 상상해보라. 계산기를 쓸 때마다, 기존 계산 값에 새로운 숫자가 계속해서 더해질 것이다. 그러면 과연 답이 얼마나 정확하겠는가? 또한 인생이라는 여행을 하면서 새로운 문제를 해결하려고할 때마다 새롭게 출발할 수 있도록 마음을 "0으로 다시 세팅하는" 법을 배워야한다.

쉽게 할 수 있는 방법은 잠자리에 들기 전에 매일 명상하여 마음을 깨끗하게 하고 밤 동안 잘 쉬는 것이다. 명상을 처음 접하는 사람은 먼저 5분 정도 앉는 좌법 명상부터 시작하여 조금씩 편안해짐에 따라 천천히 시간을 늘려가면 된다. 매일 규칙적으로 명상을 실천하면 그 이점을 확실히 알 수 있다.

한 가지 주목할 점은 초점을 맞출 때마다 에너지가 따르며, 활력이 넘치는 신체를 갖추면 성공으로 가는 여정에 긍정성을 더 유지할 수 있다는 것이다.

우리는 삶을 긍정적으로 또는 부정적으로 볼 수 있는 옵션을 가지고 있으며, 그 선택의 결과는 우리 삶의 모든 측면에 영향을 미칠 수 있다.

"생각은 말이 되므로 당신의 생각을 긍정적으로 유지하라. 말은 행동이 되므로 당신의 말을 긍정적으로 유지하라. 행동은 습관이 되므로 당신의 행동을 긍정적으로 유지하라. 습관은 가치관이 되기 때문에 당신의 습관을 긍정적으로 유지하라. 가치관은 운명이 된다. 그러므로 당신의 가치관을 긍정적으로 유지하라."
- 마하트마 간디

긍정적이든 부정적이든 모든 생각은 내면의 생각에서 비롯된다. 그러므로 어떻게 생각할지 적극적으로 선택하는 것이 매우 중요하다. 당신은 마음속에 긍정성이 영구적으로 자리 잡도록 결정할 수 있다.

부정적인 일이 일어날 때, 사람들은 종종 부정적인 측면과 그 결과에 계속해서 집중하는 경향이 있다. 이것은 다시 더 많은 부정성을 끌어당긴다. 예를 들어, 아침부터 기분이 나쁜 사람은 커피를 쏟고 발가락을 찧고 열차를 놓치는 등 하루 내내 불쾌한 일을 겪는다.

반면에, "부정적인" 상황에서 긍정적으로 감사하는 법을 배울 수 있다면, 하루가 더 나빠지는 대신 실제로 더 나아질 수 있다.

하지만 부정적인 것에 익숙한 사람이 하룻밤 사이에 긍정적으로 되는 것은 아니다. 항상 긍정적으로 생각하고 반응하는 시점에 도달하기 전에 몇 가지 사전 조정 연습을 거쳐야 한다.

다음 몇 단계는 매일 보다 더 긍정적으로 반응하도록 준비하는 데 도움을 줄 것이다.

"가진 것에 감사하라. 더 많은 것을 갖게 될 것이다. 갖지 않은 것에 집중하면, 결코, 결코 충분해질 수 없다."

- 오프라 윈프리

위 진술은 너무 쉽고 단순하게 들릴지 모르지만, 대부분의 사람들은 감사를 실천하지 않는다. 매일 지속적으로 감사하는 것만으로도 진실로 더 많은 것을 가질 수 있다.

감사는 반드시 행동에 옮겨야 할 매우 중요한 의식이지만 다음과 같이 간단하게 할 수도 있다.

· 매일 새롭게 깨어날 수 있는 것에 감사하기.
· 하루 세 끼 식사할 수 있다는 것에 감사하기.
· 차를 운전하고 다닐 수 있다는 것에 감사하기 등.

감사는 공짜로 할 수 있으며, 그 대가로 상당한 수익을 가져다주지만, 사람들은 감사하기를 너무나 꺼린다. 누군가가 "고마워"라고 말할 때, 그것은 말하는 사람과 듣는 사람 모두에게 좋은 감정을 일으킨다. 이것은 결국 더 나은 것으로 이어질 수 있다.

매일 감사하는 법을 배우려면 어떻게 해야 할까?

1) 매일 아침과 밤에 5분 동안 감사할 수 있는 것에 대해 생각하라. 감사의 마음으로 하루를 시작하고 하루를 마무리하는 데에 도움이 된다.

2) 기회가 있을 때마다 고맙다고 말하라. 점심을 사주겠다고 하거나 도움을 준 동료에게 감사하라. 버스 운전기사에게 감사하라. 수줍음이 많다면, 고마운 사람에게 작은 쪽지를 건네는 것도 좋다.

3) 매일 가지고 다니는 물건을 만질 때마다 감사할 만한 이유를 찾아보라.

결국 감사와 불평은 모두 같은 양의 에너지를 차지한다. 그렇다면, 그 에너지를 당신에게 일어나는 사소한 일에 대해서도 감사의 감정으로 돌리지 않을 이유가 무엇이겠는가?

"사람은 자기가 생각하는 만큼 행복하다."
- *미상(未詳)*

길에서 마주치는 아무나 붙잡고 행복을 정의해 달라고 해보라. 대답을 듣지 못할 경우가 더 많을 것이다. 많은 사람들은 무엇이 진정으로 자신을 행복하게 하는지 알지 못한다. 대다수가 매월 2천만 원씩 벌면 행복해진다는 식의 사회적 함정에 빠진다. 그러나 매월 큰돈을 벌고 원하는 모든 물질적인 것을 가진 이들이 종종 세상에서 가장 불행한 사람들이라는 것이 진실이다. 그들은 부자가 되는 여정을 거치면서 많은 행복을 잃는 경향이 있다.

반면에, 근근이 살아갈 정도로만 벌더라도 신문을 읽으면서 커피를 마시거나, 산책을 하거나, 아이들과 어울려 놀거나, 나무 사이로 불어오는 바람을 느껴보는 것과 같은 모든 작은 일들이 행복한 이들이 있다.

삶의 투쟁에서 중요한 부분은 무엇이 우리를 행복하게

하는지, 그리고 어쩌면 더 중요한 것은 무엇이 우리를 지속적으로 행복하게 하는지 알아내는 것이다.

마음의 눈에서 벗어나는 것을 막아라

우리 모두 해야 할 일, 심지어 중요한 일을 마음에 담지만, 결국에는 잊어버리고 다시 일정을 잡아야 할 때가 있다. 의식적으로 그것을 앞에 놓지 않으면, 단순히 마음에서 바로 사라져버리는 것이다.

평범한 사람이 하루에 얼마나 많은 생각을 하는지 아는가? 연구에 따르면, 보통 사람은 하루에 약 12,000개의 생각을 하고, 더 깊이 생각하는 사람이라면, 하루에 약 5만 개의 생각을 한다고 한다. 참으로 많은 생각들이다. 그래서 어쩌면 작은 건망증이 그렇게 나쁘게 들리지 않을 수도 있다.

하지만, 이것을 고려해보라. 당신은 매일 아침 양치질을 하는 걸 잊어버리는가? 현관문이 어디 있는지, 아니면 침대 어느 쪽으로 머리를 두어야 하는지 망각하는가?

이런 것들을 쉽게 잊지 못하는 이유는 습관이 되었기 때문이다. 매일 아침 이를 닦고, 정문을 나가고, 매일 같은 침대에서 자는 데 익숙하다면, 이런 일은 생각하지 않고도

할 수 있다.

성공과 행복을 거의 생각 없이 할 수 있는 습관으로 만들고 싶다면, 가장 먼저 해야 할 일은 과거의 성공을 상기시켜주는 것과 당신을 행복하게 해주는 것을 눈앞에 그리고 자주 보는 곳, 이를테면 방의 벽이나 휴대폰 뒷면 같은 곳에 두는 것이다.

과거의 성공과 당신을 행복하게 해주는 것을 자주 봐야하는 이유는, 이것이 긍정적인 마음을 유지하고 현재의 여정이 힘들 때 동기를 부여하는 데 도움을 주기 때문이다.

개인적인 예를 하나 들어보자. 나는 어렸을 때 주변의 이웃사람들이 얼굴에 바람을 맞으면서 자전거를 타는 모습을 지켜보곤 했다. 어느 날, 나는 나 스스로 자전거를 탈수 있다면 얼마나 좋을까, 하고 생각했다. 나는 엄마의 빨간 큰 자전거를 타고 복도를 내려가려고 했다. 그리고 넘어지고 또 넘어져서 셀 수 없을 정도로 많이 다쳤다. 하지만 나는 계속해서 도전했고 결국 어떻게 자전거를 타는지 알아내고야 말았다. 나는 사람들과 합류하여 자전거를 타며 얼굴에 불어오는 바람을 맞았다. 이 경험을 생각할 때마다 나는 항상 크게 긍정적인 기분을 느끼며, 이것은 내게 일상의 삶에서 앞으로 나아가도록 힘을 주고 있다.

당신을 지지하는 그룹에 들어가라

어려운 시기에 긍정적인 태도를 유지하는 것이 힘들다면, 당신만 그런 것이 아니다. 우리 중 많은 이들이 어려운 시기가 닥칠 때마다 부정성에 쉽게 굴복하는 경향이 있다. 이런 이유로, 다른 사람들로부터 도움을 주고받기 위해 의지할 수 있는, 당신을 지지하는 공동체를 갖는 것이 매우 중요하다. 그런 공동체는 질병이나 인간관계 문제, 또는 중요한 삶의 변화와 같은 문제에 직면한 사람들을 한자리에 끌어모은다.

"자신을 격려하는 가장 좋은 방법은 다른 사람을 격려하는 것이다."
- 마크 트웨인

개인적으로, 내게는 성공으로 향하는 여정에서 긍정적인 에너지를 추구하는 사람들을 하나로 모으는 목표가 있다. 이렇게 함으로써, 이 지지 그룹에 있는 모든 이들은 긍정적인 태도의 중요성에 대해 서로 격려하고 상기시킬 수 있다. 이 기회를 통해 더 많은 사랑과 희망, 긍정적인 에너지를 세상에 가져오는 사명에 당신도 동참하기 바란다.

나는 더 많은 사람들에게 감동을 주고 세상에 더 많은 긍정성을 가져다주는 꿈을 가지고 페이스북 커뮤니티를 설립했다. 이 페이스북 커뮤니티에서 매일 당신을 격려하고 영감을 주고 동기를 부여하는 긍정적인 인용문과 노래, 책, 영감을 주는 영상을 찾을 수 있다.

큰 목표는 잘게 쪼개라

목표를 설정하는 습관이 있지만, 목표를 달성할 수는 없는 것처럼 보이는가? 많은 사람들이 살을 빼거나 인생에 큰 변화를 주는 것과 같은 새해 결심을 하지만, 연말이 되면 까맣게 잊고 마는 경우가 허다하다.

목표를 달성하지 못하는 주된 이유 중 하나는 너무 크고 압도적인 목표를 세우기 때문이다. 성공을 원한다면 목표를 작고 관리하기 쉬운 작업으로 나누고 지체 없이 실천에 옮길 줄 알아야 한다. 목표를 정의하고 잘게 쪼개는 시간이 길어질수록, 의욕과 동기를 잃을 위험성이 커진다.

코끼리는 어떻게 먹는가? 한 번에 한 입씩! 이 현명한 말을 무시하면 많은 실망이 뒤따를 수 있다.

긍정적인 자세와 동기를 유지하기 위해서는, 앞으로 나아갈 행동을 쉽게 취할 수 있도록 작은 단계로 나누는 법을 배워야 한다. 이런 식으로 목표에 더 가까이 가기 위해 필요한 자신감과 추진력을 쌓을 수 있고, 시간이 갈수록 이 작은 발걸음은 인생에서 더 큰 단계로 변모할 것이다.

마음에 긍정적인 양분을 공급하라

○
○
○

나무가 크고 튼튼하게 자라기 위해서는 햇빛, 물, 영양분이 풍부한 토양 등 여러 가지 성분이 필요하다. 마찬가지로, 한 개인으로서 긍정적으로 성장하기 위해서는, 끊임없이 긍정적인 성분을 마음에 공급해야 한다.

　그렇다면 이 긍정적인 성분은 무엇일까? 당신의 긍정성을 자극하기 위해 매일 할 수 있는 몇 가지 일반적인 것들을 살펴보자.

당신은 음악을 좋아하는가? 음악을 듣는 것은 기분을 좋게 하고 궁극적으로 더 나은 삶의 질을 끌어낼 수 있는 힘이 있다. 어떤 음악을 듣는지 주의하라. "잘못된" 음악은 슬프거나 화가 나거나 우울하게 만들 수 있다.

긍정적인 영상과 TV 프로그램 보기

  사람들은 온라인 영화를 보고, 극장에 가고, TV 앞에서 많은 시간을 보낸다. 이 점을 감안할 때, 항상 블록버스터 영화나 어떤 의미나 영감을 주지 않는 텔레비전 프로그램을 선택하지 않도록 주의하라. 현명하게 선택하라. 영감을 받고 생각하게 하거나, 또는 즐겁게 웃게 만드는 쇼를 보도록 하라.

대부분의 신문과 뉴스 매체가 부정적인 이야기에 집중하는 성향이 있다는 것을 아는가? 개인적으로 나는 이런 식으로 뉴스를 따르는 것을 중단했다. 내가 알아야 할 것은 친구와 지인들로부터 배운다. 당신은 뉴스를 읽으면 최신 정보를 계속 확인할 수 있고 친구나 동료들과 더 많은 대화를 나눌 수 있다고 말할지 모른다. 하지만 그 대가를 고려해야 한다. 이런 상황을 피하기 위해 노력할 수 있을 때 좋지 않은 뉴스로 당신의 하루를 부정적으로 만드는 것은 아무 의미가 없다.

사람들이 작은 삶을 살도록 내버려두되, 당신은 그러지 마라. 사람들이 사소한 일로 다투도록 내버려두되, 당신은 그러지 마라. 사람들이 작은 상처 때문에 울게 내버려두되, 당신은 그러지 마라. 사람들이 타인의 손에 자기 미래를 맡기도록 내버려두되, 당신은 그러지 마라.

- 짐 론

9가지 긍정의 만트라

○ ○ ○

밤잠을 자는 동안 과거는 지나갔다. 그러므로 아침에 하루를 시작할 때, 어제의 사건이 어떤 식으로든 당신에게 영향을 미치지 않도록 하라. 이미 일어난 일은 더 이상 바꿀 수 없다.

올바른 길에 에너지를 집중하라

통제할 수 없는 것에 대해 걱정하지 마라. 지금 하고 있는 일에 집중하고, 다른 일로 주의가 산만해지지 않도록 하라. 어떤 것에 모든 에너지를 집중할 수 있다면, 그 일을 잘 완수할 수 있다.

무슨 일이 일어나든, 항상 할 수 있다고 믿어라! 그렇지 않으면 전투가 시작되기도 전에 이미 절반은 패배한 것이다. 우리 내면의 신념 체계는 매우 재미있다. 헨리 포드는 다음과 같이 말한 바 있다. "할 수 있다고 생각하든 할 수 없다고 생각하든, 대개 당신이 옳다."

지금 당장 감사할 만한 5가지는 무엇인가?

매일 아침 감사하는 5가지를 적는 습관을 들여라. 이 작은 단계가 인생의 작은 것조차 감사하게 만드는 데 큰 도움이 될 수 있다. 매일 다른 감사할 만한 것들을 적는 도전을 해보라.

긍정적인 말과 생각이 행복을 가져온다

인간의 뇌는 컴퓨터의 내장 메모리처럼 작동한다. 단순히 뇌는 듣고, 보고, 만지고, 맛보고, 냄새 맡는 것을 기록할 뿐이다. 내용이 긍정적이든 부정적이든 상관없이 뇌는 모든 것을 기록하고 저장한다. 어떤 말을 여러 번 반복하면 마음은 그것을 사실로 믿을 것이다. 따라서 진정한 변화는 긍정적인 말을 사용하는 적극적인 선택에서 시작된다.

다음괴 같은 긍정석인 단어를 신중하게 선택하라.

"나는 할 수 있다."
"나는 내가 하는 일을 잘한다."
"나는 성공할 수 있다."

그러면 뇌는 최대한의 잠재력을 발휘할 것이다.

청각적 사람이거나 출퇴근 때 상당한 시간을 보낸다면, 오디오북을 듣는 것은 영감을 받고 새로운 것을 배우는 데 도움이 될 수 있다. 다양한 오디오북과 프로그램이 있으므로 핸드폰으로 다운 받아 활용할 수도 있다.

앞에서 언급했듯이, 영감을 주는 영화를 보는 것은 동기를 부여하고 긍정적인 태도를 유지하는 방법 중 하나다. 좋은 영화는 긍정적인 에너지를 주고 기억에 남을 만한 방식으로 중요한 메시지를 전달할 수 있다.

명상은 집중력과 인지력을 향상하는 데 도움이 된다. 또한 스트레스 감소, 숙면, 집중력 향상과 같이 명상이 가져다주는 건강상의 이점도 있다.

과일과 채소를 먹고 규칙적으로 운동하라

과일과 채소는 우리 몸에 비타민, 미네랄, 섬유질의 훌륭한 공급원이며, 좋은 기분과 에너지 향상에도 도움이 될 수 있다. 또한 운동은 긍정적인 상태를 유지하는 데 도움을 주는 또 다른 중요한 요소다. 몸매를 유지하고 몸을 강화하여 불필요한 질병을 예방하는 데에도 도움이 된다. 그러므로 일주일에 적어도 2-3번 운동하도록 노력하라.

원하는 것을 얻는 가장 큰 비밀 3가지

○
○
○

무엇이 되었든지, 원하는 것을 얻는 가장 큰 비밀은 다음 세 문장으로 요약할 수 있다.

절대로 포기하지 마라.
절대로 포기하지 마라.
절대로 포기하지 마라.

이 조언은 단순하게 들리지만, 윈스턴 처칠이 생애 마지막으로 한 연설 중 하나였다. 그는 일어서서 청중 앞에서 이 세 문장만 말하고 나서 자리를 떠났다. 이 남자는 자신의 삶에서 성취한 모든 것과 청중과 나눌 수 있는 모든 지혜를 고려해서 오직 이 단어만을 선택했다.

그 이유는 무엇인가?

그는 어떤 노력에서든 실패의 주된 원인이 포기함으로써 실패를 받아들이기로 하는 결정이라는 것을 배웠다. 당신도 이미 모든 부정적인 상황이 무언가를 배울 수 있는 기회,

더 나은 사람이 되고 꿈을 이룰 수 있는 기회임을 알게 되었다.

이것을 고려할 때, 진정으로 실패하는 유일한 방법은 배우지 못하고, 성장하지 못하고, 계속 나아가지 않는 것임을 알 수 있다. 포기가 곧 실패다. 다른 모든 것은 결국 성공으로 이끄는 기술을 개발할 수 있는 기회일 뿐이다.

노벨상을 수상한 과학자 닐스 보어는 전문가는 한 분야 안에서 여러 번 실패한 사람에 지나지 않는다고 했다. 윈스턴 처칠의 조언과 절대 포기하지 말라는 조언이 결합될 때 이것이 무엇을 의미하는지 생각해보라.

계속 배우고 성장하며 나아간다면 결국 전문가의 지위를 개발할 수 있다. 즉, 원하는 것이 무엇인지 정확히 알고 있다면, 성공의 두 번째 가장 큰 비밀이 바로 이것이다.

포기를 거부하더라도 자신의 방식으로 삶을 살아가는 것을 놓칠 수 있다. 그러기 위해 할 일은 한 가지에만 집중하는 대신, 다른 방향으로 주의를 기울이고 관심을 분산시키는 것이다. 집중력 부족은 모든 사람이 극복해야 하는 공통적인 문제이다.

많은 사람들이 자신이 정말로 원하는 것을 결정하지 않기 때문에 인생에서 원하는 것을 얻지 못한다. 그리고 그들은 관심사가 너무 많은 다른 방향으로 흩어져 있기 때문에 진정으로 원하는 것을 결정하지 못한다.

레이저 빔은 하나의 중심점에 초점을 맞춘 빛에 지나지 않는다. 레이저는 존재하는 거의 모든 물질을 절단할 수 있는 힘을 가지고 있다. 이는 하나의 중심 목표에 에너지를 집중하는 것이 얼마나 중요한지 가늠해볼 수 있는 힌트가 될 것이다.

이렇게 절대 포기하지 않으면서 자신의 방식으로 삶을 살아가기 위해 해야 할 일이 한 가지 더 있다.

절대로 배움을 멈추지 마라

에릭 호퍼는 급격한 변화의 시기에 미래를 이어갈 사람은 계속 배우는 학습자이며, 배움을 끝낸 사람에게는 과거의 세계에서 살아갈 기술밖에 남지 않는다고 말했다. 잠재력을 최대한 발휘하는 데 있어, 아마도 이 말은 가장 현명한 명언 중 하나일 것이다.

인생에서 가만히 서 있는 건 아무것도 없다. 주변 세상은 언제나 앞으로 나아가고, 한 곳에 가만히 서 있으면 뒤처지고 말 것이다. 평생 학습에 대한 헌신은 당신이 할 수 있는 가장 현명하고 보람 있는 약속 중 하나다.

이 책을 읽음으로써 첫발을 내디뎠지만 여기서 멈추지 마라. 배운 정보를 계속 활용하고 적용하라. 그렇게 실천하면서 이 책을 반복해서 읽어라.

또 배울 수 있는 더 많은 자원을 찾아라. 그럴수록 진정으로 원하는 것이 무엇인지 더 분명하게 알 수 있다. 끈기가 강할수록 보상은 더 커진다.

50가지 긍정성 체크리스트

1. 당신은 자기 인생을 책임지고 있는가? 인생을 창출할 때 희생자 역할을 하지 마라.

2. 누구도 완벽하지 않다는 것을 기억하라. 불완전한 행동이라도 행동하지 않는 것보다 낫다.

3. 지금 당장 감사해야 할 다섯 가지를 나열하라.

4. 규칙적인 휴식으로 재충전하라.

5. 당신은 규칙적으로 운동하는가?

6, 일어날 수 있는 최악의 일은 무엇인가?

7. 모든 사람을 기쁘게 할 수는 없다는 사실을 깨달아라. 사람들이 당신의 기분에 영향을 미치지 않도록 하라.

8. 마음에 긍정적인 생각을 심어주는 동기부여 오디오를 들어라.

9. 식사와 수분공급은 잘하고 있는가?

10. 대화할 사람, 긍정적인 친구나 멘토를 찾아라.

11. 계속 배우고 어떻게 하면 더 강해질 수 있는지에 집중하라.

12. 항상 인생의 밝은 면을 보라. 모든 것을 긍정적으로 받아들여라.

13. 명상으로 마음의 혼란을 해소하라.

14. 성공 일지를 기록하라.

15. 긍정적인 말을 쓰고 매일 생각을 바꾸어 더욱더 긍정적이 돼라.

16. 영감을 주는 책을 읽어라.

17. 동기를 부여하거나 재미있는 영화를 보고 정신을 고양하라.

18. 당신에 대한 다른 사람의 관점에서 편안해지는 법을 배워라.

19. 절대 포기하지 마라.

20. 유연하게 다른 방법을 시도해보라.

21. 두려움에 지배당하지 마라.

22. 엎질러진 물을 후회하지 마라.

23. 항상 운이 좋다고 생각하라.

24. 매일 매일을 새로운 날로 대하라.

25. 올바른 길에 에너지를 집중하라.

26. 스스로 어떤 말을 하는지 의식하라.

27. 영감을 주는 명언을 찾아라.

28. 다섯 명의 친구를 현명하게 선택하라.

29. 베풀고 이미 가지고 있는 것에 감사하라.

30. 항상 자신의 목표를 돌아보라.

31. 순자산을 계산하고 추적하라.

32. 자기대화를 통해 자신을 행복하게 하라.

33. 사랑과 웃음으로 하루를 채워라.

34. 무슨 일이 일어났든 이유가 있어서 일어난 것이니 그에 감사하라.

35. 함께 일할 마음이 있는 파트너를 찾아라.

36. 항상 할 수 있다고 믿어라.

37. 과거로 인해 부담 갖지 마라.

38. 기분이 안 좋을 때 해야 할 일을 찾아라.

39. 새로운 기술을 습득하라.

40. 감사 일지를 기록하라. 모든 작은 것에 감사하라.

41. 배울 수 있는 멘토를 찾아라.

42. 잠에서 깨면 웃어라.

43. 작은 기쁨과 성취를 축하하라.

44. 최고의 순간을 정기적으로 기억하라.

45. 기분을 고양하기 위한 자신만의 음악 리스트를 만들어라.

46. 일할 때 "왜"를 기억하라.

47. 매일 15분씩 "나만의 시간"을 가져라.

48. 중요하지 않은 일에는 거절하는 법을 배워라.

49. 집중하기 위해 주변의 소음을 제거하라.

50. 당신만의 슬로건이나 만트라를 가져라.